UN MOMENT D'IMPATIENCE !

ÉDITIONS LES IMPATIENTS

Un merci posthume à Frédéric Back qui nous a amicalement confié à l'automne 2013 le dessin qui illustre la précédente page titre de cet album. Il tenait à faire partie de ce projet, et nous en sommes très touchés.

Un merci à Line Gamache, responsable des ateliers BD des Impatients, qui a supervisé la collaboration des participants avec patience.

Un merci à Luc Vidal pour ses belles photos.

Conception graphique : Patrick Verdant
Page couverture : Willy Noise, un Impatient, et Mario Malouin
Coloration du dessin de Frédéric Back : Violaine Piché
Illustration de la Table des duos : Claude Robinson.
Impression : Transcontinental Acme Direct

Pour en savoir plus sur Les Impatients ou pour vous procurer d'autres exemplaires de cet album : www.impatients.ca

© 2014,
Les éditions Les Impatients
100 rue Sherbrooke Est, bureau 4000
Montréal, Québec H2X 1C3

Dépôt légal - Bibliothèque et Archives nationales du Québec, 2014.
Dépôt légal - Bibliothèque et Archives Canada, 2014.
ISBN: 978-2-9813449-6-0

Sortir de l'isolement! Créer de l'espoir!
Cultiver la fierté! C'est ça LES IMPATIENTS!

À sa manière, Willy, un Impatient, a dessiné magistralement le personnage qui éclate de la case de la page couverture.
Quelle belle façon de sortir de l'isolement!

Depuis quelques années déjà, notre atelier de bandes dessinées est venu s'ajouter aux autres ateliers d'arts et ainsi poursuivre notre mission de venir en aide aux personnes atteintes de problèmes de santé mentale.
Créer de l'espoir!

Grâce au dynamisme, à l'énergie et à la détermination de mon complice Mario Malouin, nous vous présentons de spectaculaires duos en BD.
Merci à tous nos incroyables collaborateurs d'aider LES IMPATIENTS à cultiver la fierté!

JEAN-BERNARD TRUDEAU
PRÉSIDENT DU CONSEIL D'ADMINISTRATION DES IMPATIENTS

Vive les Impatients !
Vivre la patience...

Je tiens à saluer tous ceux et celles qui, dans notre société, sont Impatients. Pour toutes sortes de raisons que, bien souvent, ils ne peuvent contrôler.

Nous vivons dans un monde où tout roule à vive allure : les automobiles, les publicités, les informations en mode continu, les idées, etc. C'est tellement engageant, exigeant et grisant à la fois qu'il devient presque exceptionnel de ralentir. Et encore plus rare de s'arrêter...

Tout va tellement vite qu'il devient presque « naturel » d'être impatient. Surtout avec ceux et celles qui sont différents; je pense en particulier... aux Impatients.

Pourtant... Nous avons tous à apprendre de ces humains à la très grande sensibilité, qui sont à la fois Impatients et... patients dans leurs différents apprentissages artistiques.

Bravo à tous ceux et celles qui auront contribué à la réalisation et à la commercialisation à succès de cet album!

FRANÇOIS CASTONGUAY
PRÉSIDENT ET CHEF DE LA DIRECTION GROUPE UNIPRIX

Depuis plus de vingt ans, Les Impatients viennent en aide aux personnes ayant des problèmes de santé mentale par le biais de l'expression artistique en offrant gratuitement des ateliers de création, principalement axés sur le dessin, la peinture, la musique et aussi... la bande dessinée. Une partie du financement des Impatients provient de projets originaux, comme les célèbres coffrets MILLE MOTS D'AMOUR regroupant des lettres d'amour des Impatients, de personnalités publiques et du grand public... ou comme cet album!

J'ai le privilège de partager une amitié, tricotée d'une passion commune pour la bande dessinée, avec Jean-Bernard Trudeau, le président du conseil d'administration des Impatients. Lorsqu'un jour il m'a présenté avec fierté leur dernière production, le CD LES DUOS IMPROBABLES, j'ai d'abord salué la réalisation.

Lorsqu'il m'a expliqué que l'aventure avait consisté à mettre en duo des artistes qu'on n'aurait pas nécessairement pressentis pour performer ensemble, avec, en boni, une participation de la chorale des Impatients... je n'ai pu m'empêcher de lui demander s'il avait pensé à reproduire le concept en bande dessinée.

En lançant cette proposition, je venais de me trouver une occupation pour les deux années qui allaient suivre.

À partir de ce moment, les choses ont filé rapidement. Le concept d'une bande dessinée réunissant des artistes dessinateurs et des auteurs du Québec crée l'étincelle chez les dirigeants des Impatients. C'est ainsi que Jean-Bernard et moi sommes devenus le duo qui produirait l'album. S'ensuit un partenariat avec le

groupe Uniprix, commanditaire principal du projet, qui révèle la double sensibilité de son président pour la cause des maladies mentales et pour la bande dessinée!

Le projet est sur les rails! Le défi: convaincre une personnalité, sensible à la bande dessinée, de produire un scénario d'une page sur le thème UN MOMENT D'IMPATIENCE! et à le faire illustrer par un professionnel.

21 duos d'enfer! Des personnalités issues de divers milieux et des Impatients réunis en tandem avec des « Pointures du crayon »!

Deux moments magiques viennent couronner l'aventure.

À l'automne 2013, je joins Frédéric Back... l'homme qui plantait des arbres. Malgré la maladie qui l'afflige, il insiste pour faire partie du projet et nous offre un dessin noir et blanc. Du même coup, il autorise ma compagne et coloriste, Violaine Piché, à réaliser une coloration minutieuse de ce magnifique dessin qui orne notre page titre.

Quelques mois plus tard, une seconde rencontre magique avec Claude Robinson, notre Don Quichotte du droit d'auteur, qui, par amitié pour Les Impatients, réalise l'amusant dessin de notre Table des duos.

Et voilà. Assez bavardé! Je vous invite à vous régaler des œuvres magistrales et généreuses qui suivent, réalisées gracieusement par des gens extraordinaires. Tous des géants!

MARIO MALOUIN

COORDONNATEUR DU PROJET
SPECTACULAIRES DUOS EN BD

Les dessins utilisés dans cette double page, ainsi que dans les pages de garde, sont des crayonnés et encrés préparatoires des œuvres contenues dans cet album.

PIERRE POIRIER

Technicien en santé animale de formation, Pierre Poirier a dévié du droit chemin pour devenir auteur de télévision. En compagnie de sa complice de toujours Sylvie Lussier, il a signé les séries 4 ET DEMI..., LES TUMULTUEUSES AVENTURES DE JACK CARTER et L'AUBERGE DU CHIEN NOIR. On leur doit aussi le scénario du film L'ODYSSÉE D'ALICE TREMBLAY. Depuis longtemps attiré par la bande dessinée, il est le scénariste de l'album STREET POKER publié en 2010, chez Glénat Québec.

Photo Luc Vidal

JACQUES LAMONTAGNE

Après de solides études en graphisme, Jacques Lamontagne travaille pour des agences de publicité, jusqu'à devenir directeur artistique de l'une d'elles. Il prend ensuite son autonomie comme illustrateur pigiste durant de nombreuses années. Fin 90, il est sollicité par les deux principaux magazines d'humour, DÉLIRE et SAFARIR. Il y réalise plusieurs couvertures et bandes dessinées. Parmi celles-ci, il amorce une nouvelle série, LES CONTES D'OUTRE-TOMBE. Ces courts récits fantastiques le préparent à signer en décembre 2004, pour les Éditions Soleil, la série LES DRUIDES, scénarisée par Jean-Luc Istin et Thierry Jigourel. Depuis, il en a produit 8 albums, en plus des 3 albums de la série ASPIC. Lamontagne a également signé les scénarios des séries YUNA, HAVEN et VAN HELSING CONTRE JACK L'ÉVENTREUR qui s'est mérité le prix « Albéric-Bourgeois » au Festival de la BD francophone de Québec.

Photo Luc Vidal

AMIENS 1875

MONSIEUR?

J'AI FAIM. PRÉPARE MOI QUELQUE CHOSE.

C'EST QUE... ÇA SERA DIFFICILE MONSIEUR. C'EST LE GRAND NETTOYAGE DES FOURNEAUX AUJOURD'HUI. LA CUISINE N'EST ABSOLUMENT PAS FONCTIONNELLE.

C'EST RIDICULE. JE SUIS EN PLEINE CRÉATION ET JE NE PEUX CESSER D'ÉCRIRE POUR ALLER PERDRE MON TEMPS DANS UN RESTAURANT. FAIS UN EFFORT.

J'AI UN BEAU MORCEAU DE BŒUF. JE PEUX ALLER CHEZ LE VOISIN ET LUI DEMA...

TROP LONG. HACHE TON MORCEAU DE VIANDE EN PETITS MORCEAUX, AJOUTES-Y DES ÉPICES ET SERS-LE MOI.

COMME ÇA MONSIEUR? CRU?

OUI. CRU. ET AJOUTES-Y UN ŒUF BATTU.

BIEN MONSIEUR. TOUT DE SUITE.

Michel Strogoff

C'EST LORS DE LA RÉDACTION DE SON ROMAN « MICHEL STROGOFF » QUE JULES VERNE CRÉA LE STEAK TARTARE. UN DÉLICIEUX MOMENT D'IMPATIENCE.

POIRIER / LAMONTAGNE

CAROLINE «LA GRINCH» GERMAIN

Dans le domaine de l'édition depuis plus de 20 ans, infographe à ses heures et rédactrice en chef du magazine DÉLIRE depuis deux ans, Caroline «La Grinch» Germain est maman monoparentale d'un préado ayant un TDA.

Tous ceux qui la connaissent diront qu'elle ne sourit que très rarement, d'où son surnom «La Grinch», mais elle se défend en marmonnant : «C'est parce que ça fait fendre ma lèvre!». Elle dévore depuis deux ans tous les romans et BD qu'elle reçoit : «J'ai le temps, je passe près de trois heures par jour dans les transports!» et signe la chronique des nouveautés BD pour le magazine. Elle fait de tous ses vendredis soirs des soirées cinéma-pizza et tente d'assister à tous les spectacles de lutte et d'humour avec son fils : «Y'a rien de mieux pour se défouler!».

RAYMOND PARENT

Photo Raynald Leblanc

Raymond Parent a publié dans CROC, LA PRESSE, LE SOLEIL, LE JOURNAL DE MONTRÉAL, 7 JOURS, LES DÉBROUILLARDS et LES EXPLORATEURS.

Il est le créateur de la série LES KLOOTZ, 52 dessins animés diffusés sur les ondes de Vrak TV et Family Channel.

Il est l'auteur de BIBOP, CULBUTE, LES VOISINS D'EN FACE, LE DOMAINE GOUL et DIXIE, GUSTAVE ET ZAP!, série également publiée en Chine.

Ses albums de BD ont remporté plusieurs prix, dont la « Palme Livromagie » de Communication-Jeunesse. L'album ET QUE ÇA SAUTE! se classe au 1er rang des livres préférés des 9-12 ans, en plus de remporter le prix de l'album québécois de l'année au Festival de la BD francophone de Québec.

Autre mérite pour BIBOP, il vient de rafler le prix « Tamarac » au Festival Forest of Reading de Toronto.

OH CHÉRI, Y A UNE ROU-TE PANORAMIQUE PAR LÀ ! ALLEZ, ON LA PREND !

MAIS, N'OUBLIE PAS, JE DOIS FAIRE LE PLEIN DU BATEAU.

HEY !?

ALLEZ... C'EST JUSTE UN PETIT DÉTOUR, Y'A PEUT-ÊTRE MÊME UNE MARINA PAR LÀ !

WOW ! C'EST TELLEMENT BEAU CE PAYSA-GE ! LES CHAMPS À PERTE DE VUE...

C'EST VRAI HEIN CHÉRI QUE C'EST BEAU LA ROUTE PANORAMIQUE ? BLA BLA BLA BLA BLA...

MAIS CHÉRIE, C'EST PAS...

ÇA FINIT PLUS D'ÊTRE BEAU PAR ICI. REGARDE LES SAPINS LÀ-BAS... BLA BLA BLA...

T'AS VU LA COULEUR DE LA VÉGÉTATION ? INCROYABLE... BLA BLA BLA...

MAIS CHÉRIE, C'EST PAS...

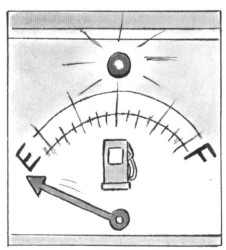

CHÉRIE, DEPUIS QU'ON A PRIS CE DÉTOUR QUE J'ESSAIE DE TE DIRE QUE JE DOIS ALLER TINKER POUR LE BATEAU... MAIS SURTOUT POUR LE CHAR !!!

HALTE

CLÉMENCE DESROCHERS

Photo Julien Faugère

Née à Sherbrooke en 1933, elle est la fille du poète Alfred DesRochers. En 1950, elle fait partie de la troupe de la Roulotte de Paul Buissonneau et entre au Conservatoire d'art dramatique de Montréal.

Auteure, poète, écrivaine et monologuiste prolifique, elle reçoit en 2001 la médaille de Chevalier de l'Ordre national du Québec et en 2009 le Prix de la Gouverneure générale pour les arts de la scène.

Le fonds d'archives de Clémence DesRochers est conservé au Centre d'archives de Montréal de Bibliothèque et Archives nationales du Québec.

Depuis 1996, Clémence est la marraine des Impatients.

SIOU

Photo Radu Christian Barca

Je dessine depuis toujours et toujours je redessinais mes bandes dessinées préférées. J'aurais préféré dessiner mes propres histoires, mais les bonnes histoires n'étaient pas là.

Là, les dernières années aux ateliers, j'ai créé mes premières pages...
Spontanément créé une atmosphère d'un trait ou deux.

Trait d'union – Clémence.
Là, c'est une autre histoire! – Une première histoire à dessiner. – Mon premier long travail de mise en page. Essai-erreur. Résultat : entre la BD, l'illustration et la partition musicale.
Merci Clémence, merci Line!

SCÉNARISTE — BRYAN PERRO

Photo Tzara Maud

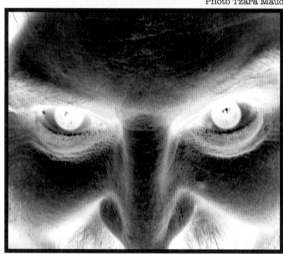

En plus d'être conteur, comédien et metteur en scène, l'auteur d'AMOS DARAGON est un de nos écrivains majeurs.

Après des études en théâtre, il l'enseigne quelques années. Pendant cette période, il signe des chroniques dans le mensuel culturel LE SORTEUX et dans le quotidien LE NOUVELLISTE. Auteur de plusieurs pièces de théâtre, en 2007 Bryan Perro conçoit le grand spectacle ECLYPS à la Cité de l'énergie.

Les romans de sa série AMOS DARAGON ont été vendus à 1 400 000 copies au Québec seulement, ils ont été traduits dans 26 pays. En 2006, il remporte le «Prix Jeunesse de science-fiction et de fantastique québécois» pour le 8e tome.

En 2011, sous la direction de Kent Nagano, il livre un conte de Noël à la Maison symphonique de Montréal.

DESSINATEUR — VORO

Photo Jean Jacques Procureur B

Suite à des études en graphisme au Québec, VoRo (Vincent Rioux) part en Belgique apprendre la bande dessinée. De retour, il devient un des premiers auteurs québécois à percer le marché européen. Son premier livre, LA MARE AU DIABLE, mérite le prix «Bédélys Québec 2001» au Salon du livre de Montréal, le prix «Réal-Fillion» 2002 du Festival de la BD francophone de Québec et le prix du meilleur album de 2002 sur le site BD Québec. Ensuite, VoRo réalise le projet TARD DANS LA NUIT avec Djian, une trilogie aux Éditions Vents d'Ouest, qui remporte le prix «Jovette-Bernier» au Salon du livre de Rimouski en 2004. Avec Marc Bourgne, il vient de terminer son diptyque, L'ÉTÉ 63. Il a reçu le «Prix culturel rimouskois "Artiste"» de l'année 2013 et le grand prix du Festival de Buc en France.
http://voro.over-blog.com/

Un grand sage s'arrêta un jour dans un petit village et décida de s'y installer pour quelque temps.

Les habitants, trop heureux d'avoir un si grand maître parmi eux, lui demandèrent de prendre la parole afin de leur enseigner ce qu'il fallait savoir de la vie. Ils étaient tous impatients d'en apprendre sur le sujet. Et le sage accepta.

SAVEZ-VOUS DE QUOI JE VAIS VOUS PARLER AUJOURD'HUI?

NON !

EH BIEN, DANS CE CAS, VOUS NE MÉRITEZ PAS DE M'ENTENDRE !

???

Pendant la semaine qui suivit, les gens du village se consultèrent et décidèrent de tous répondre « oui » au maître à sa prochaine prise de parole.

Vint alors le moment où le sage rassembla les habitants.

ALORS, AUJOURD'HUI, SAVEZ-VOUS DE QUOI JE VAIS VOUS PARLER ?

OUI!

DANS CE CAS IL N'EST DONC PAS NÉCESSAIRE QUE JE VOUS LE DISE!

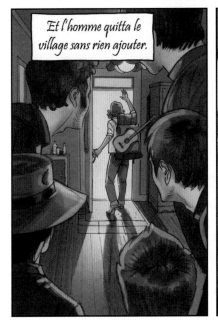

Et l'homme quitta le village sans rien ajouter.

Les gens du village en déduisirent que la meilleure façon d'en apprendre sur la vie était de...

...la vivre!

Cet homme était, en effet, un grand sage et un excellent communicateur.

JACQUES SAMSON

Jacques Samson vit à Montréal, où il a enseigné le cinéma, la bande dessinée et la littérature. Il est membre de la rédaction de NEUVIÈMEART 2.0 (Angoulême) et a dirigé avec Pierre Fresnault-Deruelle POÉTIQUES DE LA BANDE DESSINÉE (L'Harmattan, 2007). Avec Benoît Peeters, il a publié en 2010 CHRIS WARE, LA BANDE DESSINÉE RÉINVENTÉE (Les Impressions Nouvelles). En 2014, il a coréalisé avec Christophe Camoirano le film documentaire UN CHEMIN AVEC EDMOND BAUDOIN.

BERNARD DUCHESNE

Bernard Duchesne a étudié les beaux-arts et la scénographie à Québec. Il débute comme créateur dans le monde du théâtre. Après un passage dans l'enseignement, il opte pour le travail autonome. Il se distingue alors dans la création tridimensionnelle et l'illustration. Il s'intéresse également à la peinture et à l'écriture d'une manière plus personnelle. Ses carnets d'aventures montrent un penchant marqué pour le travail en plein air. Aujourd'hui, il expose de temps à autre, participe à des symposiums et partage son expérience via des ateliers et des conférences. www.bernardduchesne.ca

Tellement peur que tout se disloque

SCÉNARISTE

JOSÉE BOURNIVAL

Photo Éric Myre

Depuis plus de 15 ans, Josée Bournival est animatrice et chroniqueuse. Sa crinière rousse a été aperçue pendant des années à l'émission matinale SALUT, BONJOUR! de TVA.
Maman de 3 fillettes, Josée tient un blogue sur la thématique de la maternité pour Canal Vie.
Son premier roman, BÉBÉ BOUM, paru aux Éditions Hurtubise a été sacré best-seller et est distribué à l'étranger.
Le 2e tome est sorti au printemps 2014.

DESSINATRICE

STÉPHANIE LEDUC

Stéphanie se passionne pour la bande dessinée depuis sa plus tendre enfance. Fait peu commun lié à cette profession, elle fait des études universitaires en bande dessinée, précédées d'études collégiales en dessin animé. Peu après, elle se fait remarquer en Europe avec quelques histoires courtes en tant qu'auteur complet pour l'hebdomadaire SPIROU et le magazine LANFEUST. En 2010, elle nous fait découvrir les aventures mirifiques de TITI KRAPOUTI publiées aux Éditions Glénat Québec. Jonglant entre l'univers de TITI KRAPOUTI & CIE, celui fantasy de TERRE SANS DIEUX et celui du conte érotique de DRYADE, elle n'a pas fini de nous faire rêver.

FIN

SCÉNARISTE

FRANCINE LAPRÉE

Photo Radu Christian Barca

Cocotte existe vraiment.
C'est ma chatte.
C'est une chatte noire de Sibérie.
Je l'aime beaucoup,
mais elle a une tête dure.
Quand elle veut quelque chose,
elle miaule jusqu'à ce que je lui donne.
Et parfois ça me rend impatiente.

DESSINATEUR

ANNA MARIA APUZZO

Photo Radu Christian Barca

Je fais de l'art depuis mon enfance.
J'ai gagné des trophées et participé à des
expositions à Paris, Londres et New York avec l'école.
J'ai réalisé des conceptions graphiques pour les
Jeunes volontaires et gagné le 1er prix du
« Dessin de la paix ». J'ai suivi des cours à l'Art
Instruction School où j'ai gagné le « Blue Ribbon Award ».
J'ai étudié le dessin linéaire et le dessin technique et
travaillé chez Zed Graphics.
Présentement, je fais de la céramique,
participe à L'Art-Rivé et fais partie des Impatients.

CLAUDE MEUNIER

Photo Julie Perreault

Dans le monde de l'humour et du spectacle, Claude Meunier n'a plus besoin de présentation. Déjà connu pour avoir été de la formation du groupe PAUL ET PAUL, il est l'inoubliable Dong du duo de porteurs de vestes en peau de vache, DING ET DONG. Auteur prolifique, entre autres coauteur de la pièce BROUE, il est pour toujours le créateur de LA PETITE VIE. Il en a écrit les textes, en plus d'y interpréter le savoureux Popa. Claude a déjà réalisé une bande dessinée, LA BANDE À TI-PAUL, aux textes et aux dessins.

MARIO MALOUIN

Photo Luc Vidal

Passionné par son art, Mario Malouin fait de la bande dessinée depuis plus de 40 ans. Il a commencé dès l'âge de 15 ans en publiant dans des hebdos régionaux.

En plus d'avoir été un des fondateurs du magazine SAFARIR, il a œuvré à SPIROU, FLUIDE GLACIAL, 7 JOURS, TV HEBDO, SUMMUM et maintenant DÉLIRE.

Il a publié une vingtaine d'albums en tant que scénariste ou dessinateur.

Il a été président de la ScaBD (Société des Créateurs et Amis de la Bande Dessinée) en 1990 et président du Festival de la BD francophone de Québec en 2000 et 2001.

MES PIEDS SONT-TU BIEN ATTACHÉS LÀ?

OUI, OUI, MISTER "IMPATIENT"! VAS-Y: RELAXE LÀ!

HOMMMMMMM! HOMMMMMMMM! AHHHHHH!... TU DEVRAIS EN FAIRE DU YOGA TOI AUSSI. ÇA TE CALMERAIT.

PAS BESOIN. C'EST TOI LE PAQUET DE NERFS!

(MOI!!!) BEN LÀ, C'EST NORMAL! PAS ÉVIDENT ÊTRE MARIÉ AVEC UNE "FACE DE MUFFIN"!!

PARDON?!!! UN MUFFIN?!! BEN TU TE TROUVERAS UNE TARTE POUR TE DÉTACHER!

BON! UN MUFFIN SUSCEPTIBLE EN PLUS!

VOYONS MOMAN! DÉTACHE-MOI LÀ! LE CERVEAU "VA ME COULER" SUR LE PLANCHER!!

PAS GRAVE. JE PASSERAI LA MOPPE!

SCÉNARIO: CLAUDE MEUNIER

DESSIN: Malouin

SCÉNARISTE

SIMON PROULX

Simon Proulx est de sexe masculin depuis qu'il est né à Drummondville. Tout petit dès son très jeune âge, il aime danser et dessiner sous la douche, mais ses rêves de peintre dansant sont abruptement interrompus par l'arrivée soudaine de la popularité du groupe dont il est le chanteur et guitariste : LES TROIS ACCORDS. Cette reconnaissance lui donne envie d'écrire plus et lui apporte gloire et bijoux. En ce moment précis, Simon poursuit toujours ses activités musicales au sein du groupe, et poste son curriculum vitæ pour devenir secrétaire général de l'ONU.

DESSINATEUR

PATRICK VERDANT

Photo Avril Franco

Bachelier en architecture, Patrick Verdant a enseigné le design architectural et les techniques graphiques à l'Université de Guanajuato au Mexique au début des années 80. Devenu bachelier en communication graphique après son retour à Québec, il travaille comme graphiste depuis 25 ans. En bande dessinée, il a publié dans LE FIL DES ÉVÉNEMENTS, LE SOLEIL, la revue BAMBOU, le journal du PETIT CHAMPLAIN et surtout la REVUE STE-ANNE où il a créé et animé la série MEC, ANNICK ET LES ROUAGES DE LA VIE pendant 5 ans. Scénariste, dessinateur et coloriste, ses séries pour enfants sont humoristiques et poétiques. Dans la ligne réaliste, il crée des aventures où le fantastique se mêle au côté humain des personnages. Patrick Verdant est le concepteur graphique du présent album. www.patrickverdant.weebly.com

Chère André Philippe,
Merci pour votre soutien aux Impatients

SCÉNARISTE

CAMILLO ZACCHIA

Photo Romualdo Barillaro

Psychologue spécialisé dans le traitement des troubles anxieux, de dépression et de conflits interpersonnels, Camillo Zacchia est titulaire d'un doctorat de l'Université McGill depuis 1987. Il a été le psychologue en chef de 1997 à 2011 et président du comité d'éthique clinique pendant sept ans à l'Institut universitaire en santé mentale Douglas. Il y dirige maintenant le Bureau d'éducation en santé mentale.

Le Dr Zacchia est bien connu du grand public comme vulgarisateur en santé mentale. Il tient un blogue sur le sujet et donne régulièrement des conférences. Depuis plusieurs années, il écrit une chronique toutes les deux semaines dans le JOURNAL MÉTRO. Il a aussi été vice-président de Phobies-Zéro, organisme communautaire qui aide les personnes souffrant de troubles anxieux.

DESSINATEUR

ERIC PÉLADEAU

Photo Luc Vidal

Formé en graphisme et en dessin animé, Eric œuvre depuis plus de 10 ans comme pigiste en multimédia et illustration. Il a publié une douzaine de livres et en a illustré une cinquantaine d'autres, en plus de collaborer à diverses revues, comme DÉLIRE et SAFARIR.

Il se joint au Studio coopératif Premières Lignes en 2009. Il occupera le rôle de président de cette maison d'édition spécialisée en BD de 2010 à 2014.

En 2012, il collabore avec Pierre Labrie et Nadine Descheneaux aux 4 SUPER, une série hybride entre la bande dessinée et le livre illustré, mettant en vedette 4 petits superhéros.

En 2013, il publie le 1er tome de LIZ ET DIO, série qui a vu le jour dans SAFARIR. Il prépare la suite pour 2015.

JE NE SAIS PAS, DOC. IL ME SEMBLE QUE PERSONNE NE ME RESPECTE.

MMH!

PUIS, COMMENT ÇA TE FAIT SENTIR?

SCRI! SCRI! SCRI!

TRISTE.

PARFOIS ÇA AIDE DE CHANGER NOTRE DIALOGUE INTERNE. QUEL AUTRE MOT POURRAIS-TU UTILISER POUR TRISTE?

EUH... MOROSE?

OUIIIIIIIII...!

ER...AHEM... JE VEUX DIRE C'EST TRÈS INTÉRESSANT.

SCRI! SCRI! SCRI!

SCRI! SCRI!

25

SCÉNARISTE

YVON LANDRY

Yvon Landry est un touche-à-tout de l'humour depuis une trentaine d'années : télé (ET DIEU CRÉA... LAFLAQUE, LES BOYS, TAQUINONS LA PLANÈTE, 100 LIMITE et autres), radio (À LA SEMAINE PROCHAINE, LA JUNGLE EN FOLIE), magazines (CROC, SAFARIR), BD (GROKON LE MONSTRE), et scène (JUSTE POUR RIRE).

Il est l'heureux père de deux fils avec la femme de sa vie. Il aime les oiseaux, la nature et la lecture : romans, livres d'histoire, de philosophie et de sociologie. Il est membre de Greenpeace et des Artistes pour la paix.

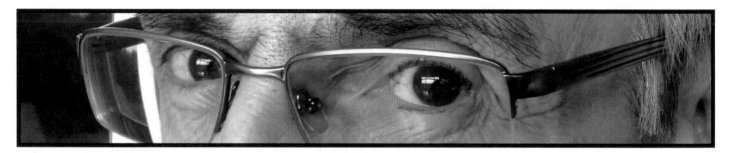

DESSINATEUR

SERGE CHAPLEAU

On l'a découvert grâce à ses spectaculaires caricatures couleur d'artistes dans le défunt PERSPECTIVES.
Dans les années suivantes, il collabore à plusieurs publications, dont le MONTRÉAL MATIN, L'ACTUALITÉ, NOUS, LE DEVOIR, LE MATIN et 7 JOURS. Après un retour au DEVOIR, il devient le caricaturiste de LA PRESSE.
Depuis 2004, il anime son rejeton de latex Gérard D. Laflaque pour l'émission ET DIEU CRÉA... LAFLAQUE.
Depuis 1993, les Éditions du Boréal publient ses meilleures caricatures dans un recueil annuel. En 1997, le Musée McCord l'a honoré d'une populaire exposition de ses caricatures.
Finaliste treize fois au Concours canadien de journalisme de l'Association canadienne des journaux, il l'a remporté à sept reprises.

IMPATIENCE BIEN ORDONNÉE...

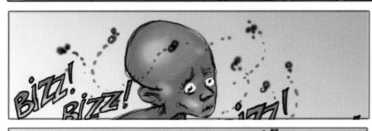

SCÉNARISTE

CÉLINE LACERTE

Photo Ryan Blau

Avocate, Céline Lacerte a été
juge à la Cour du Québec, chambre criminelle;
elle a également été commissaire et
procureure de commissions d'enquête.
Coauteure de quatre livres, elle a à son crédit
plusieurs communications et publications et
elle détient un certificat en scénarisation.
Enfin, elle s'implique aux Impatients depuis
plusieurs années et est également engagée
auprès du Théâtre d'Aujourd'hui, du Théâtre Debout,
du Jamais lu et de Culture pour tous. Elle assure
également la mise en scène de soirées littéraires.

DESSINATEUR

DJIEF

Photo © Héléna Bergeron 2014

Ayant touché aux domaines du multimédia
et des jeux vidéo, Djief amorce sa carrière
en bande dessinée dans les années 90 en
illustrant des scénarios d'André-Philippe Côté.
Au cours des années 2000, il perce le
marché européen en illustrant pour
les Éditions Soleil : TOKYO GHOST et
LE CRÉPUSCULE DES DIEUX,
deux BD scénarisées par Nicolas Jarry.
Finalement, après un passage aux Éditions
Glénat avec SAINT-GERMAIN, scénarisée
par Thierry Gloris, il revient en solo aux
Éditions Soleil avec un autre diptyque
de science-fiction, WHITE CROWS.
Toujours en solo, il prépare une histoire se
déroulant dans le New York des années 20
intitulée BROADWAY, tout en poursuivant
LE CRÉPUSCULE DES DIEUX.

DOSSIER DE M. LAPORTE.

NOUS SOMMES ICI POUR VOTRE DÉCISION SUR LA REMISE EN LIBERTÉ DE MON CLIENT.

MÊME SI M. LAPORTE EST UN ITINÉRANT, IL A MAINTENANT UN ENDROIT OÙ IL PEUT DEMEURER, IL N'A PAS D'ANTÉCÉDENTS JUDICIAIRES ET LE CRIME EST MINEUR. IL DOIT DONC ÊTRE REMIS EN LIBERTÉ !

JE NE SUIS PAS CONVAINCU QUE VOTRE CLIENT IRA DEMEURER CHEZ SON FRÈRE. EN CONSÉQUENCE, IL DEMEURERA DÉTENU.

MAIS, L'ACCUSÉ EST PRÉSUMÉ INNOCENT, ON PARLE D'UN MÉFAIT, IL A FOURNI UNE ADRESSE...

ET C'EST ÉCRIT DANS LE CODE QU'IL A LE DROIT D'ÊTRE REMIS EN LIBERTÉ.

MAÎTRE, MA DÉCISION EST RENDUE.

SCRIIII

EH BIEN MONSIEUR LE JUGE, SI CET ARTICLE DU CODE CRIMINEL N'EXISTE PAS POUR VOUS, AUSSI BIEN L'ENLEVER !

FIN

CÉLINE LACERTE - DJIEF 2014

SCÉNARISTE

JEAN-FRANÇOIS PROVENCHER

Je fais de la bande dessinée depuis 2011 aux Impatients. J'aime écrire des histoires et les illustrer. J'ai plusieurs projets réalisés à contenu autobiographique, poétique, spirituel et autres. Toutes ces bandes dessinées sont en noir et blanc.
Ce projet en duo a été une expérience très enrichissante au niveau de la collaboration, et ma première BD en couleur.

Photo Radu Christian Barca

DESSINATEUR

GRAFFIN

Photo Radu Christian Barca

Elle a été initiée à la bande dessinée par la bédéiste Line Gamache en 2011. Très jeune, son goût pour les arts l'a portée à s'exprimer en poésie, théâtre, danse, chant...
Puis plus tard en mime et en peinture.
La démarche créatrice est vitale. Aujourd'hui la bande dessinée est un jeu, de mots, de mise en scène et de tableaux, de personnages familiers ou imaginaires, d'épisodes de vies, d'animation immobile, du noir au blanc à la couleur, de la méditation active à la communication.

SCÉNARISTE

SYLVIE LUSSIER

Photo Luc Vidal

Après une pratique en médecine vétérinaire, elle écrit et anime l'émission BÊTES PAS BÊTES PLUS de 1989 à 2000 en compagnie de Pierre Poirier.

Toujours avec son partenaire, elle commence l'écriture de téléromans à succès: 4 ET DEMI... de 1993 à 2000, LES AVENTURES TUMULTUEUSES DE JACK CARTER en 2003 et cette même année débute L'AUBERGE DU CHIEN NOIR.

En 2002, leur scénario de L'ODYSSÉE D'ALICE TREMBLAY est porté au grand écran.

Depuis 1998, Sylvie Lussier siège au conseil d'administration de la SARTEC (Société des auteurs de radio, télévision et cinéma).

Elle en est la présidente depuis 2008.

DESSINATEUR

JEAN-PHILIPPE MORIN

Jean-Philippe Morin commence son aventure dans le monde de la BD en 1993 lorsqu'il publie BARNABÉ ET COMPAGNIE aux Éditions Studio Montag. Au cours de cette même année, il remporte le prix «Espoir québécois» lors du 6e Festival de la bande dessinée francophone de Québec. Au fil des années, il illustre différentes chroniques et séries dans les magazines SAFARIR, SPIROU, PIGNOUF ET DÉLIRE. Ses albums sont publiés chez Vents d'Ouest, Glénat et, dernièrement, chez Sarbacane où il lance sa nouvelle série A.S.T. L'APPRENTI SEIGNEUR DES TÉNÈBRES.

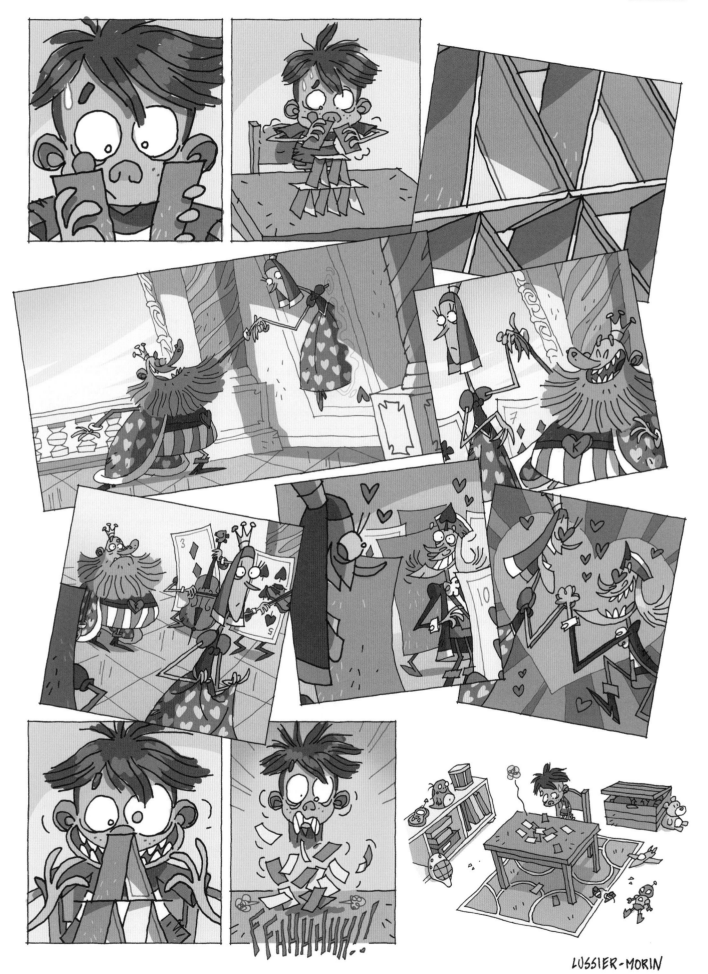

LUSSIER-MORIN

SCÉNARISTE

DENIS CÔTÉ

Photo Mario Malouin

Né à Québec, où il vit toujours, Denis Côté invente des histoires depuis son plus jeune âge. Devenu adulte, il a exercé plusieurs métiers, dont celui d'enseignant aux niveaux collégial et universitaire, mais c'est surtout l'écriture qui l'occupe. Depuis 1983, il a publié plus de 40 livres, la plupart destinés aux enfants, aux adolescents et aux jeunes adultes. Ses univers de prédilection sont la science-fiction, le fantastique, le merveilleux et l'épouvante. Certaines de ses œuvres ont été traduites, d'autres adaptées pour la télévision ou pour la scène. Denis Côté a remporté de nombreux prix et reçu de nombreux honneurs.

DESSINATEUR

LUC THIBAULT

Thib, Luc Thibault, fait de la bande dessinée depuis plus de 50 ans. Scénariste et dessinateur, il est particulièrement à l'aise avec les genres d'aventure et de polar. Il a travaillé comme illustrateur et graphiste en publicité dans de grandes entreprises, ainsi que pour des particuliers. Il a aussi œuvré aux ateliers du Carnaval de Québec. Dans les années 80, Luc a collaboré au magazine BAMBOU et fait partie de l'exposition ET VLAN, ON S'EXPOSE... Il a ensuite publié à compte d'auteur ses séries SAVANNAH et SECTION DES HOMICIDES. Cette dernière a récemment fait l'objet d'un album en couleurs aux éditions 400 Coups, sous le titre de FUREUR MEURTRIÈRE.

Photo Mario Malouin

PLUS DE DEUX MILLE ANS QUE JE TOLÈRE ÇA! PAR L'OLYMPE, J'EN AI MA CLAQUE!

COMBATTRE POUR LA JUSTICE EST UNE GLOIRE, CERTES, MAIS NOUS NE POUVONS TOUT FAIRE SEULS!

CESSEZ DE VOUS PLAINDRE ET JOIGNEZ-VOUS À NOUS!

Y EN A MARRE DE PORTER LE SORT DU MONDE SUR NOS ÉPAULES! RÉVEILLEZ-VOUS, MARINS D'EAU DOUCE!

IL EST TEMPS QUE TOUT LE MONDE METTE LA MAIN À LA PÂTE! SINON LA TERRE FINIRA COMME KRYPTON!

NE COMPTEZ PLUS SEULEMENT SUR NOUS! GROUILLEZ-VOUS! RASSEMBLEZ-VOUS!

AGISSEZ!

SAUVONS LA PLANÈTE

VIVE L'ÉNERGIE SOLAIRE

PLUS JAMAIS LA FAMINE

HALTE À LA CROISSANCE

NE TUONS PLUS LA BEAUTÉ DU MONDE

OUI À L'ÉOLIEN

À BAS LES TYRANS

WARS ARE OVER

INDIGNEZ-VOUS

OCCUPY WALL STREET

FINIS LES HYDRO-CARBURES

ENFANTS SOLDATS: PLUS JAMAIS

ÉGALITÉ ENTRE LES HOMMES ET LES FEMMES

LE NÉOLIBÉRALISME EST UN ASSASSIN

NON AU MATÉRIALISME

CONTRE LES ABRIS FISCAUX

35

SCÉNARISTE

YVES LAMONTAGNE

Photo Paul Labelle

Le Dr Yves Lamontagne a été à la tête du Collège des médecins de 1998 à 2010, après avoir présidé l'Association des médecins psychiatres du Québec. Il fut, au pays, le premier à implanter des programmes d'enseignement et de recherche dans le domaine de la thérapie comportementale. Il a fondé le Centre de recherche (en psychiatrie) Fernand-Seguin et a créé la Fondation des maladies mentales. Cumulant plusieurs années de carrière en médecine, enseignement, recherche, administration et relations publiques, il a une multitude d'articles scientifiques et plusieurs livres à son actif. Qui plus est, il a contribué de façon remarquable à la vulgarisation scientifique des troubles mentaux à titre de chroniqueur ou d'animateur dans les médias écrits et parlés. Aujourd'hui, il est consultant auprès de divers organismes, et présente des conférences sur des thèmes abordés à travers sa carrière.

DESSINATEUR

PASCAL

Petit, Pascal Élie rêvait de devenir un jour bédéiste de renom. Constatant plus tard qu'il n'existait aucune formation académique en bande dessinée, il découvrit par hasard l'endroit qui se rapprochait le plus de ce qu'il cherchait : une faculté d'arts visuels (Université d'Ottawa) où il devint un artiste. Puis il continua son chemin vers une faculté de droit (Université de Montréal) où il devint avocat, ce qui le mena tout naturellement à une fructueuse carrière de caricaturiste éditorial pour toutes sortes de quotidiens, hebdos et mensuels.

Il collabore actuellement au quotidien THE GAZETTE, à L'ACTUALITÉ MÉDICALE et à L'ACTUALITÉ PHARMACEUTIQUE (Rogers Media), au journal FINANCE ET INVESTISSEMENT (Médias Transcontinental), au magazine TRENTE (FPJQ), au JOURNAL DU BARREAU (Barreau du Québec) et au journal LAW TIMES (Thomson Reuters). Il a aussi publié dans LA PRESSE, LE DEVOIR, LES AFFAIRES, COMMERCE, FEMME PLUS, MACLEAN'S et CANADIAN LAWYER. Il est l'auteur de trois livres pour enfants et de six recueils de caricatures juridiques.

MÉ PARTES , JÉ DI !

J'y comprends rien, moi ! ALLO ? UNE INFIRMIÈRE SVP ? J'aurais besoin d'assistance, là !

VARTES ! VARTES COMME DU GAZON ! VARTES COMME DLA SALADE !

SCÉNARISTE

ANDRÉ JEAN

Issu du monde du théâtre, André Jean compte plus de vingt-cinq pièces qui ont toutes été jouées professionnellement. Son intérêt pour l'écriture l'a amené à produire plus de six cents épisodes pour différentes séries télévisées. Sa collaboration à la série d'animation SPIROU le rapproche de l'univers de la bande dessinée. Puis il collabore à la revue SAFARIR où, avec le dessinateur Mario Malouin, il s'amuse à parodier des grands classiques du cinéma. Depuis 2004, André est directeur du Conservatoire d'art dramatique de Québec.

DESSINATEUR

DENIS RODIER

Photo Luc Vidal

Denis Rodier a collaboré aux séries américaines les plus populaires, mais c'est son travail sur SUPERMAN qui lui apporte les plus grands éloges, tout particulièrement l'album DEATH OF SUPERMAN, lauréat de plusieurs prix et à ce jour, le plus grand best-seller du comics américain dans la catégorie « Trade-Paperback ».
Du côté de la France, Denis crée la série L'ORDRE DES DRAGONS en collaboration avec Jean-Luc Istin, pour ensuite poursuivre l'aventure dans un nouveau cycle intitulé L'APOGÉE DES DRAGONS avec cette fois le scénariste Éric Corbeyran.
Son nouveau projet MAELSTROM, est la culmination de trois décennies d'expérience. En effet, il prend en charge presque tous les aspects de la publication de cette bande dessinée.

SCÉNARISTE

YVES PELLETIER

Photo Yves Renaud

Membre du groupe irrévérencieux
ROCK ET BELLES OREILLES, Yves Pelletier s'est
aussi fait connaître comme comédien, scénariste
et réalisateur. Son travail a été récompensé par de
nombreux prix (Gémeaux, Félix, Jutra, Olivier).
Grand fan de BD, il scénarise en 2011 l'album
VALENTIN (dessins de Pascal Girard)
aux Éditions de la Pastèque. L'album LE POUVOIR
DE L'AMOUR ET AUTRES VAINES ROMANCES
(en collaboration avec la bédéiste Iris Boudreau)
est paru en 2014 chez le même éditeur.

DESSINATEUR

JEAN-PAUL EID

Photo Claude Paiement

On connaît Jean-Paul Eid depuis la
revue CROC en 1985, où il présente les
ABSURDES AVENTURES DE JÉRÔME BIGRAS.
En 1999, il publie avec le dramaturge Claude Paiement
les deux tomes du NAUFRAGÉ DE MEMORIA,
SCAPHANDRE 8 (prix «Bédéis Causa 2000») et
L'ABÎME (prix «Bédéis Causa» et «Bédélys 2004-05»).
En 2012, son album LE FOND DU TROU reçoit
le prix «Bédélys-spécial du jury» et le
«Grand Prix de la ville de Québec» pour son
originalité : l'album est perforé en son centre !
Aujourd'hui ses illustrations se retrouvent
dans des magazines, des livres pour enfants
ainsi que dans plusieurs musées canadiens.
Il est l'auteur d'une fresque monumentale à Lyon
soulignant le 400e anniversaire de la
ville de Québec. Au Musée des beaux-arts
de Montréal il a participé à l'exposition
LA BD S'EXPOSE AU MUSÉE.

SCÉNARISTE

MARIE-EVE JANVIER

On l'a connue pour ses participations dans NOTRE-DAME DE PARIS, LES DIX COMMANDEMENTS et DON JUAN. Ces célèbres comédies musicales l'ont conduite en France, au Liban et en Corée du Sud, et l'ont aussi fait rencontrer son partenaire de vie, Jean-François Breau. Après un album éponyme, les amoureux amorcent une carrière en duo, tout d'abord dans une tournée de spectacles, puis avec la sortie de trois albums. En 2009 DONNER POUR DONNER, LA VIE À DEUX en 2011, puis NOËL À DEUX en 2013, tous trois certifiés or. Leur complicité les mène à animer ensemble la très populaire émission C'EST MA TOUNE sur les ondes de ICI Radio-Canada Télé au printemps 2014.
En solo, elle anime, depuis trois saisons, la très populaire télé-réalité L'AMOUR EST DANS LE PRÉ, sur V.

DESSINATEUR

GAG (ANDRÉ GAGNON)

Photo Luc Vidal

Il fut de la première équipe de dessinateurs de Québec à collaborer au lancement du magazine SAFARIR en 1987. Jusqu'en 1997, il y occupe divers postes, dont ceux de rédacteur en chef, directeur de la production, directeur artistique adjoint, coordonnateur, scénariste, illustrateur et caricaturiste. Depuis quelques années, il se spécialise en coloration, réalisant les aplats des Jacques Lamontagne, Denis Rodier et Jean-Paul Eid, ainsi que la coloration et la mise en place des décors pour les 3 albums du DOCTEUR SMOG, du dessinateur André-Philippe Côté. Présentement, il œuvre à mettre en couleurs la collection SAVAIS-TU?, aux Éditions Michel Quintin, du dessinateur Sampar (Samuel Parent). Il fait également partie de la LiQIBD (Ligue québécoise d'impro BD).

UN DE NOS MOMENTS D'IMPATIENCE, C'EST L'HEURE JUSTE AVANT UN SPECTACLE.

PIRE, L'HEURE AVANT LE DÉBUT D'UNE PREMIÈRE.

CETTE HEURE-LÀ, J'ESSAIE DE LA PASSER DANS LE PLUS GRAND DES CALMES, JE ME METS DE LA MUSIQUE, DU JOHN MAYOR, DU BON FOLK COUNTRY.

JE ME MAQUILLE, FAIS MES VOCALISES, REVISE MES PAROLES, MES TEXTES D'INTERVENTION... J'ESSAIE D'ÊTRE LA PLUS ZEN POSSIBLE !

JEAN-FRANÇOIS, LUI, NE PEUT RESTER ASSIS 2 SECONDES. **IL DOIT** BOUGER. IL SE PROMÈNE, IL MANGE.

IL JASE AVEC NOS MUSICIENS, CONTE DES BLAGUES, IL NE PEUT PENSER À CE QU'IL VA FAIRE, SINON LE STRESS EMBARQUE !

IMAGINEZ LES PREMIERS SPECTACLES QU'ON A VÉCU ENSEMBLE... OUF! TELLEMENT À L'OPPOSÉ! MAIS AVEC L'EXPÉRIENCE, ON S'EST RENDU COMPTE QU'ON ÉTAIT TRÈS BIEN CHACUN DANS NOTRE BULLE !

LA FORMULE PARFAITE POUR UN SPECTACLE ENSEMBLE !

LOUISE POTVIN

Femme passionnée par la vie et les défis, Louise Potvin, infirmière et gestionnaire aguerrie, occupe actuellement le poste de directrice générale du Centre de santé et de services sociaux Pierre-Boucher en Montérégie.
Elle siège aux conseils d'administration de la Capitale Mutuelle de l'administration publique et de l'Office des professions du Québec.
Louise Potvin a reçu les prix « Florence Leadership » de l'Ordre des infirmières et infirmiers du Québec et « Distinction » de l'Ordre régional des infirmières et infirmiers de la Montérégie. Une femme sensible aux besoins et au bien-être des personnes et des équipes, qui place la qualité et la sécurité des soins et services au cœur de ses actions et de ses décisions.

RÉAL GODBOUT

Photo Luc Vidal

Depuis la création du magazine CROC, Réal Godbout a nourri notre imaginaire avec les séries MICHEL RISQUE et RED KETCHUP. Cette dernière, scénarisée en collaboration avec Pierre Fournier, est rééditée à La Pastèque depuis 2003. En 2000, il a commencé une collaboration de quelques années au magazine LES DÉBROUILLARDS. La même année, il commence une activité de chargé de cours au programme BD de l'Université du Québec en Outaouais. En 2009, il est intronisé au Canadian cartoonists Hall of Fame.
En 2013, il publie le roman graphique L'AMÉRIQUE OU LE DISPARU, d'après Franz Kafka.

Il avait plu la veille, mais, ce samedi-là, le soleil était au rendez-vous.

Une randonnée sur une route peu fréquentée. Un dîner dans un resto choisi. L'amoureux avait tout prévu...

La voilà, ma combinaison! Le même bleu que ses yeux! En plein ce qu'il faut pour qu'il succombe à mon charme!

La route est belle! Je suis bien contente de t'avoir écouté!

On passe à une route de terre. Prends garde de ne pas glisser!

Ça va ?

C'est ÇA que t'appelles une randonnée amoureuse ?! Une randonnée BOUEUSE, oui ! Tu m'avais jamais dit qu'il fallait passer par ici !!

Quelques jours plus tard, des garde-boue viennent réparer ce... moment d'impatience.

SCÉNARISTE   FÉLIX LAVIGNE

Photo Radu Christian Barca

Je fréquente les ateliers de bandes dessinées
des Impatients depuis environ quatre ans.
L'animatrice de cette activité est Line Gamache.
La plupart de mes bandes dessinées parlent de
la société et en font une critique à la fois
dénonciatrice et humoristique.
Mes bandes dessinées sont souvent
autobiographiques et parlent de ma réalité à moi.
Je souhaite demeurer aux Impatients longtemps,
car c'est dans cet organisme que je m'épanouis
et que je suis intégré socialement.

DESSINATEUR   WILLY NOISE

Photo Radu Christian Barca

J'ai fait mes études au Cégep du
Vieux Montréal dans les années 90.
J'ai publié quelques bandes dessinées
dans la revue ZONAR.
J'ai également publié deux fanzines à la fin
des années 90, dont un s'appelait BLEU SKIN.
En 2013, j'ai mis en ligne sur deux blogues
deux bandes dessinées faites dans les années
2010, DAME D'EAU et WILLY NOISE,
dont j'ai fait aussi un fanzine.

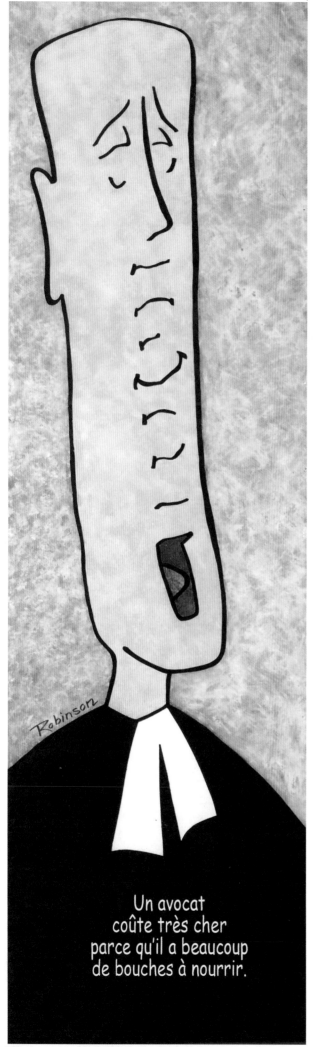

Un avocat
coûte très cher
parce qu'il a beaucoup
de bouches à nourrir.

Illustration: © Claude Robinson